Para Rafaela y Clemente.
P.J.

LA PRINCESA ZANAHORIA
Colección Sin Límites

© del texto: Paulina Jara, 2019
© de las ilustraciones: Carmen Cardemil, 2019
© de esta edición: Editorial Amanuta Limitada, 2019
Santiago, Chile
www.amanuta.cl

Este es un proyecto de Editorial Amanuta

Edición general: Ana María Pavez y Constanza Recart
Diseño: Philippe Petitpas

Primera edición: noviembre 2019
N° registro: 306.186
ISBN: 978-956-364-115-8
Impreso en China

Jara, Paulina.
La Princesa Zanahoria / Paulina Jara;
ilustraciones de Carmen Cardemil.
1° ed. - Santiago: Amanuta, 2019.
[36 p.]: il.col,; 21,5 x 16 cm. (Colección Sin Límites)
ISBN: 978-956-364-115-8
1. POESÍAS INFANTILES 2.VEGETALES – LITERATURA INFANTIL
3.LIBROS PARA NIÑOS Y NIÑAS
I. Cardemil, Carmen, il.
II. Título.

LA PRINCESA ZANAHORIA

Paulina Jara   Carmen Cardemil

editorial amanuta
COLECCIÓN SIN LÍMITES

La princesa Zanahoria
sufre un drama sin igual,
es el día de su boda
y no se quiere casar.

Su padre la ha obligado
a casarse sin amor,
en la iglesia está esperando
un zapallo gigantón.

Ya no tiene más remedio
que aceptar su voluntad,
entre espárragos curiosos
se dirige hacia el altar.

–Y llegó el gran momento
–anunció don Perejil–,
mientras Zanahoria escucha:
–Yo te ayudaré a salir.

La princesa, sorprendida,
mira hacia todos lados
y la voz le grita fuerte:
—Fíjate acá en el ramo.

Sobre un rojo rabanito
entre acelgas y espinacas
una haba regordeta
lleva varita y capa.

–Soy tu haba madrina
y ahora vamos a volar,
el repollo de tu velo
pronto nos va a transportar.

Y así ocurre que al instante
entre gritos de ensaladas,
la princesa se hace humo
y el zapallo se desmaya.

Zanahoria, agradecida,
abraza a su haba madrina
y miles de rabanitos
corren con la noticia.

El haba le dice contenta:
–Ahora tu vida cambiará,
y agitando su varita
pronto se pone a cantar.

El hechizo poderoso
hace salir de la nada
a un pepino elegante
vestido de frac y corbata.

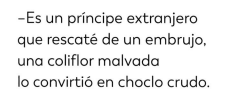

–Es un príncipe extranjero
que rescaté de un embrujo,
una coliflor malvada
lo convirtió en choclo crudo.

La princesa y el pepino
caen rendidos de amor
y van a casarse enseguida
sonriendo de emoción.

El haba en el matrimonio
sentenció llena de risa:
—Ahora mismo los declaro:
verdura y hortaliza.

Aparecieron en esta historia
estas verduras sabrosas.

Rabanito

Frutilla

Remolacha

Ciruela

Choclo

Pepino

Coliflor

Zapallo